Imithe Amú!

Scríofa ag Jennifer Moore-Mallinos

Maisithe ag Marta Fàbrega

Leagan Gaeilge le Tadhg Mac Dhonnagáin

Futa Fata

"Is mise do dheirfiúr mhór. Ceann de na jabanna atá agam ná na rudaí móra atá foghlamtha agam a mhúineadh duit. Seo rud an-mhór — nuair a bhí mise an aois chéanna leatsa, thug Mamaí agus Daidí mé chuig an gcarnabhal istigh sa bhaile mór. Ní dhéanfaidh mé dearmad go deo air! Sin é an lá ar imigh mé amú"

"Céard a tharla?"

4-5

"Lá álainn samhraidh a bhí ann. Bhíomar ar fad chomh sásta a bheith ag an gcarnabhal. Bhí oiread daoine ann! Bhí sé ar nós go raibh gach duine sa tír tar éis teacht ann don lá!"

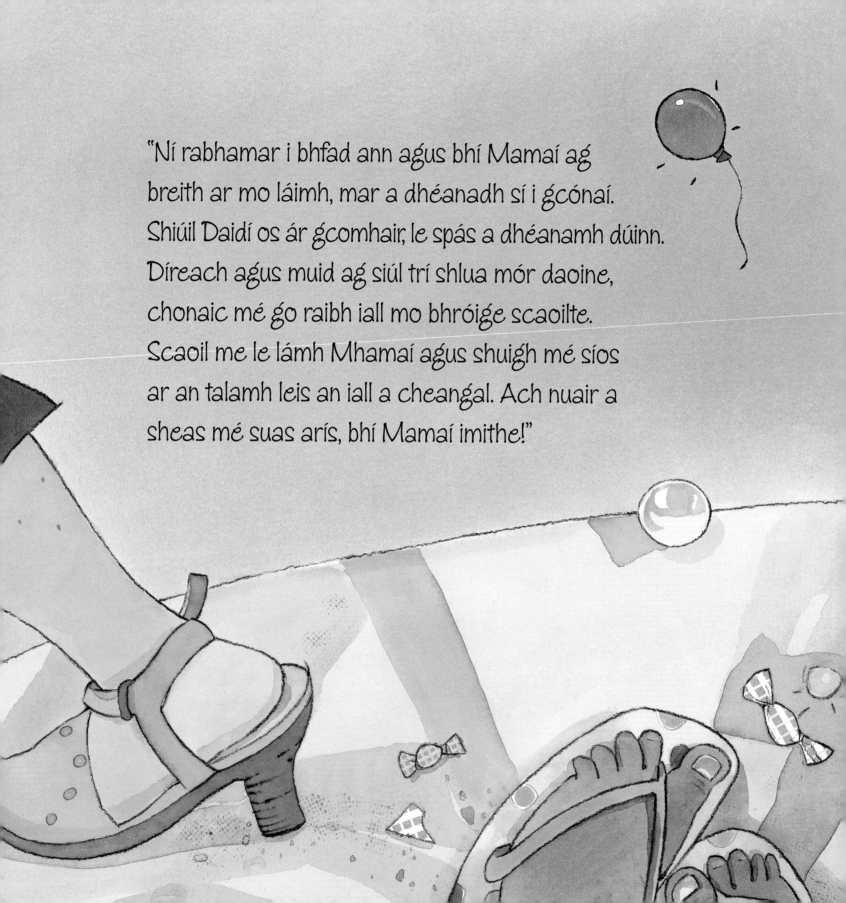

"Ní rabhamar i bhfad ann agus bhí Mamaí ag breith ar mo láimh, mar a dhéanadh sí i gcónaí. Shiúil Daidí os ár gcomhair, le spás a dhéanamh dúinn. Díreach agus muid ag siúl trí shlua mór daoine, chonaic mé go raibh iall mo bhróige scaoilte. Scaoil me le lámh Mhamaí agus shuigh mé síos ar an talamh leis an iall a cheangal. Ach nuair a sheas mé suas arís, bhí Mamaí imithe!"

8—9

"Ansin a bhí mé, liom féin go hiomlán agus gan i mo thimpeall i ngach áit ach strainséirí...."

"Bhéic mé agus bhéic mé ach ní raibh Mamaí ná Daidí in ann mé a chloisteáil. Bhí mé imithe amú! Tháinig deora le mo shúile. Tháinig faitíos orm. Ní raibh a fhios agam céard ba cheart dom a dhéanamh. Ar cheart dom siúl thart agus Mamaí agus Daidí a chuardach, nó ar cheart dom fanacht san áit a raibh mé go dtí go dtiocfaidís siúd ar ais? Díreach ansin, cé a shiúil suas chugam ach Garda. Caithfidh go raibh a fhios aige go raibh mé imithe amú. Chuir sé ceist orm an raibh cúnamh ag teastáil uaim. Dúirt mé leis go raibh. Bhí mé ag caoineadh is ag caoineadh"

12–13

"Bhí a fhios agam gur Gharda a bhí ann mar go raibh sé gléasta in éide ghorm agus bhí caipín píce air. Chuaigh sé síos ar a ghogaide agus ghlan sé na deora de mo shúile. Dúirt sé liom go gcabhródh sé liom teacht ar Mhamaí agus Daidí. Ach ar dtús, bhí cúpla ceist aige orm"

"Ar dtús, chuir sé ceist orm cén t-ainm a bhí orm agus an raibh a fhios agam cén seoladh agus uimhir fóin a bhí agam.

Ansin, chuir sé ceist orm cén chuma a bhí ar Mhamaí agus ar Dhaidí agus cén sórt éadaí a bhí á gcaitheamh an lá sin acu. Nuair a chuir sé ceist an raibh a fhios agam cén uimhir fón póca a bhí ag mo Mhamaí agus mo Dhaidí, ní raibh a fhios agam. Thosaigh mé ag caoineadh arís. Bhí faitíos orm go mbeinn imithe amú go deo. Sin é an uair a fuair mé amach go bhfuil sé an-tábhachtach fios a bheith agat cén uimhir fón póca atá ag do Mhamaí agus do Dhaidí"

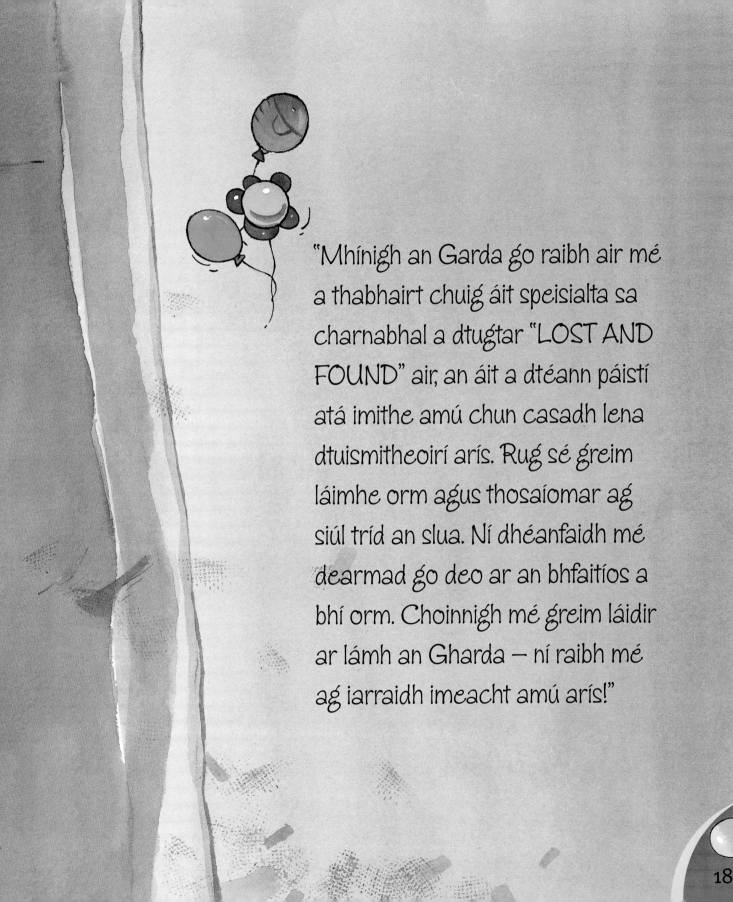

"Mhínigh an Garda go raibh air mé a thabhairt chuig áit speisialta sa charnabhal a dtugtar "LOST AND FOUND" air, an áit a dtéann páistí atá imithe amú chun casadh lena dtuismitheoirí arís. Rug sé greim láimhe orm agus thosaíomar ag siúl tríd an slua. Ní dhéanfaidh mé dearmad go deo ar an bhfaitíos a bhí orm. Choinnigh mé greim láidir ar lámh an Gharda — ní raibh mé ag iarraidh imeacht amú arís!"

Nuair a thángamar chomh fada leis an LOST AND FOUND, bhí go leor páistí eile ann! Bhí cuid acu ina suí síos go ciúin agus na deora móra leo. Bhí cuid eile acu ag béiceach agus ag scréachaíl "TÁ MÉ AG IARRAIDH MO MHAMAÍ"

agus mar sin de. Tháinig faitíos arís ormsa agus mé ag éisteacht leo. B'fhéidir nach mbeadh a fhios ag Mamaí ná Daidí faoin LOST AND FOUND. B'fhéidir go mbeadh orm fanacht ann go deo!"

"Cén fáth nár shocraigh sibh ar áit le bualadh
le chéile, ar fhaitíos gur imigh sibh amú?"

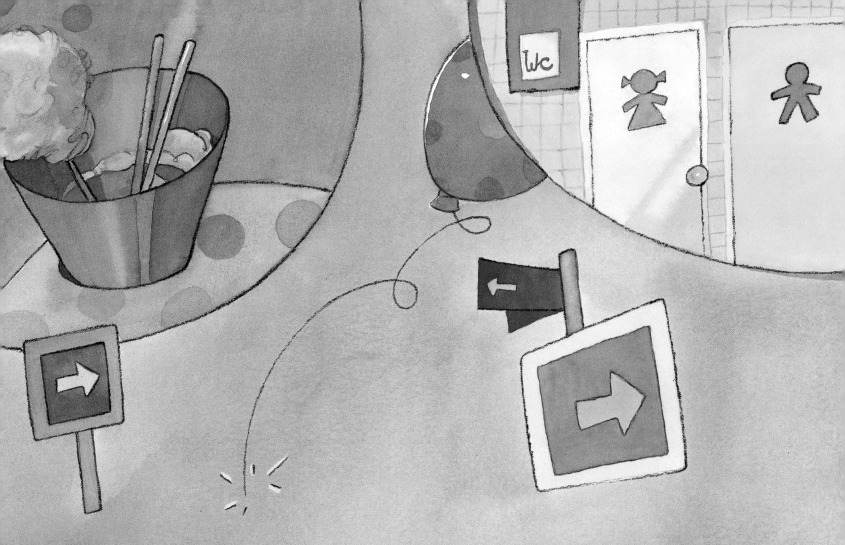

"Níor chuimhníomar riamh ar shocrú mar sin a dhéanamh! Ach ón lá sin i leith, piocaimid áit le bualadh le chéile i gcónaí, ar fhaitíos go rachadh duine againn amú!"

"D'fhan mé agus d'fhan mé. Agus d'fhan mé.
Tar éis tamaill, tháinig an Garda anall
chugam. Bhí sé mar chara faoin tráth seo
agam. Shuigh sé síos in aice liom.

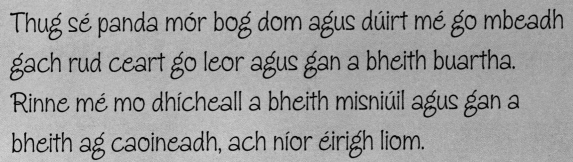

Thug sé panda mór bog dom agus dúirt mé go mbeadh gach rud ceart go leor agus gan a bheith buartha. Rinne mé mo dhícheall a bheith misniúil agus gan a bheith ag caoineadh, ach níor éirigh liom.

24—25

"Céard a tharla nuair a tháinig Mamaí agus Daidí ort?"
"Ní dhéanfaidh mé dearmad ar an áthas a bhí orm nuair a chonaic mé iad ag rith isteach an doras chugam! Rith siad anall chugam. Phioc an bheirt acu suas mé. Thugamar gráin mór dá chéile agus thosaíomar ar fad ag caoineadh. "Fiú Daidí?" "Fiú Daidí! Nuair a bhíomar ag fágáil le himeacht ar ais chug an gcarnabhal, bhreathnaigh mé ar na páistí eile a bhí fós ag fanacht. Bhí mé ag smaoineamh cé chomh mór is a bhí an t-ádh liom go raibh mo Mhamaí agus mo Dhaidí tar éis mé a fháil. Bhí a fhios agam ansin go mbeidís siúd ceart go leor chomh maith"

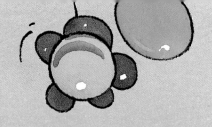

"Anois, nuair a fheicim do phanda, ní dhéanfaidh mé dearmad faoin bhfaitíos a bhí ort nuair a d'imigh tú amú – agus an faitíos a bhí ar Mhamaí agus ar Dhaidí chomh maith! Agus tuigim cé chomh tábhachtach is atá sé greim a choinneáil ar lámh Mhamaí agus Dhaidí – agus socrú a dhéanamh faoi áit le casadh le chéile, ar eagla na heagla!"

"Agus ná déan dearmad uimhreacha fón póca Mhamaí agus Dhaidí a fhoghlaim de ghlanmheabhair!"

"Tá an-áthas orm go bhfuair Mamaí agus Daidí tú. Agus tá an-áthas orm gur tusa mo dheirfiúr mhór!"

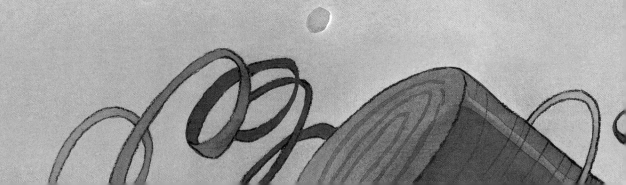

Nóta
do na daoine fásta

Mar thuismitheoirí, bímid i gcónaí ag déanamh buartha faoi shábháilteacht ár gcuid páistí. Ceann de na rudaí a chuireann buairt orainn ná go rachadh páiste óg riamh amú. Smaoineamh scanrúil é sin, ach más ea féin, is rud é ar chóir dúinn machnamh a dhéanamh air agus é a phlé lenár bpáistí.

Cuireann *Imithe Amú* síos ar an mbealach scanrúil a tharlaíonn sé, in ainneoin na n-ainneoin, go mbailíonn páistí leo orainn uaireanta agus go n-imíonn siad amú. Tugann an leabhar seo deis duit mar thuismitheoir cúrsaí sábháilteachta in áiteanna poiblí a phlé le do pháiste. Tugann sé deis daoibh pleananna agus straitéisí éagsúla a phlé, pleananna a laghdóidh an seans go rachaidh sibh amú ar a chéile agus a dhéanfaidh forbairt ar scileanna éagsúla maidir le cuimhneamh ar eolas tábhachtach.

Tá sé fíorthábhachtach do gach páiste go mbeadh a n-ainm agus a sloinne ar eolas acu, an uimhir fóin sa bhaile, agus uimhreacha fón póca a dtuismitheoirí. Beidh sé deacair ag páistí áirithe an t-eolas sin ar fad a fhoghlaim de ghlanmheabhair. Is fúinne, na daoine fásta é an t-eolas sin a dhéanamh spraoiúil seachas scanrúil. Ná déan dearmad gur breá le páistí athrá, amhráin ghreannmhara agus rannta simplí.

Is gá, mar sin, go mbeadh eolas áirithe ar bharr a theanga ag do pháiste. Is gá duitse chomh maith roinnt eolais a bheith ar bharr do theanga-sa.

An bhfuil tusa in ann cur síos cruinn, beacht a dhéanamh ar na héadaí atá á gcaitheamh ag do pháiste inniu? Tá sé an-tábhachtach go mbeifeá in ann an cur síos sin a dhéanamh, chomh maith le grianghraf a tógadh le gairid a bheith i do sheilbh agat. Beidh na rudaí sin ina gcúnamh mór maidir le do pháiste a aimsiú go slán, sábháilte.

Nuair a bhaineann tú áit phoiblí amach, an bpiocann tú áit áirithe le casadh le do pháiste, ar fhaitíos go n-imíonn sibh amú ar a chéile? Tá sé an-tábhachtach áit atá éasca le haithint a roghnú – príomhgheata an zú, nó ardaitheoir gloine san ionad siopadóireachta b'fhéidir. Tuigeann do pháiste ansin go bhfuil plean ag an mbeirt agaibh agus beidh a fhios aici céard atá le déanamh má théann sí amú.

Tá teachtaireacht sách dáiríre ag an leabhar seo. Ach nuair a bhíonn tú féin agus do pháiste á léamh, taispeáin di go bhfuil tú an-tógtha leis an scéal. Níl tú ag iarraidh do pháiste a scanrú – ach má bhíonn spraoi ag baint le ceacht dáiríre mar seo a fhoghlaim, fanfaidh an t-eolas leis ar bhealach i bhfad níos éifeachtaí. Ansin, má thagann an lá go mbeidh an t-eolas ag teastáil uaidh, beidh sé in ann an rud ceart a dhéanamh, gan fuacht, gan faitíos.

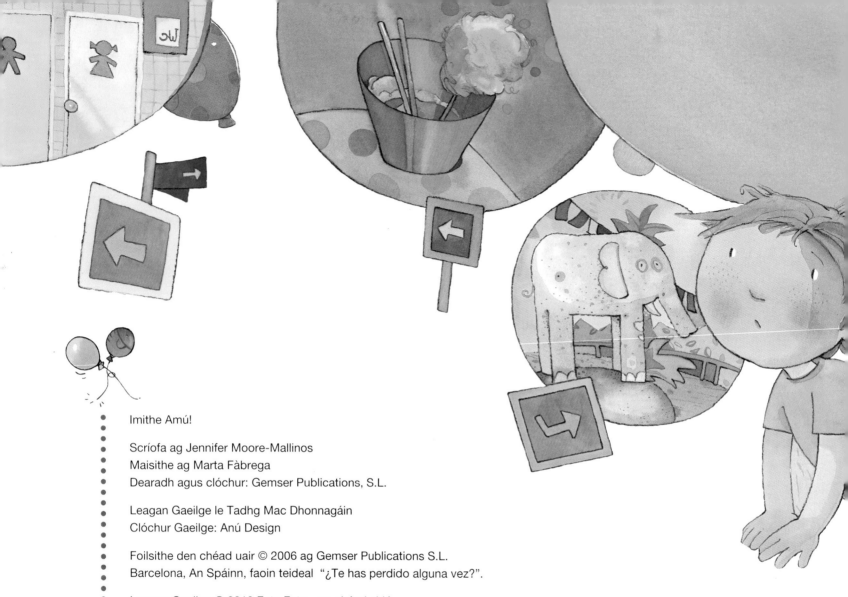

Imithe Amú!

Scríofa ag Jennifer Moore-Mallinos
Maisithe ag Marta Fàbrega
Dearadh agus clóchur: Gemser Publications, S.L.

Leagan Gaeilge le Tadhg Mac Dhonnagáin
Clóchur Gaeilge: Anú Design

Foilsithe den chéad uair © 2006 ag Gemser Publications S.L.
Barcelona, An Spáinn, faoin teideal "¿Te has perdido alguna vez?".

Leagan Gaeilge © 2010 Futa Fata – an chéad chló

ISBN: 978-1-906907-08-2

An Chomhairle um Oideachas
Gaeltachta & Gaelscolaíochta

Glacann Futa Fata buíochas le COGG –
An Chomhairle um Oideachas Gaeltachta agus Gaelscolaíochta faoi chúnamh airgid
a chur ar fáil d'fhoilsiú na sraithe "Bímis ag Caint Faoi".